Les origines des Vengeurs

© 2013 Marvel

Les supervilains commettent des crimes.

Mais il y a toujours un superhéros
quelque part pour les arrêter.
Thor combat des géants à Asgard.

Sur la Terre, Hulk écrase tout sur son passage. Il est superpuissant.

Loin de là, Iron Man se sert de son répulseur.

Ailleurs dans le monde, l'Homme-Fourmi et la Guêpe se lancent à l'attaque.

La Guêpe peut devenir très petite. Elle lance des décharges électriques.

L'Homme-Fourmi peut également rapetisser. Mais il peut aussi augmenter sa taille. Quand il est grand, il devient le Géant-Homme !

Un jour, un vilain prévoit faire quelque chose de mal.
Ce méchant se nomme Loki.

Loki est le frère de Thor.
Thor est un superhéros.
Il possède un marteau puissant.
Celui-ci lui permet de combattre
les vilains.

Loki est jaloux de Thor.
Loki se sert de Hulk pour piéger Thor.

Loki trompe les gens. Il leur fait croire que Hulk a écrasé un train. Il sait que Thor va vouloir intervenir.

L’Homme-Fourmi et la Guêpe s’envolent vers la scène.

Iron Man y va, lui aussi.

Ils se rencontrent au train.
Le frère de Loki, Thor, est également là.

Iron Man, l'Homme-Fourmi et la Guêpe partent à la recherche de Hulk.

Thor, de son côté, va trouver Loki.
Il sait que c'est lui le vilain.

Les héros attaquent Hulk.
Ils croient que c’est le méchant.

Mais Thor leur emmène Loki.
Il le tient fermement.
Il leur explique que Loki est le vrai méchant.

Les superhéros se battent contre Loki, et ils gagnent !

Ils n'y seraient jamais parvenus seuls.

Ils décident de former une équipe.

Ils la nomment les Vengeurs !

Ils unissent leurs forces.

Ils affrontent des vilains trop forts pour une seule personne.

Pour un combat, l’équipe doit se rendre sur une terre glacée.

Les Vengeurs aperçoivent un homme dans la glace.
Le Géant-Homme nage vers l'homme.
Il l'agrippe et le tire en lieu sûr.

Iron Man fait fondre la glace à l'aide de son rayon.
Il doit faire attention. Il ne veut pas brûler l'homme.

L'homme dans la glace se nomme Capitaine América !

C’est un grand superhéros.
Il possède un bouclier puissant.

Capitaine América est désorienté.
Il est isolé depuis si longtemps.
Il ne connaît pas ces superhéros.

Iron Man place une main sur son épaule.

Soudain, les Vengeurs sont attaqués.
Les vilains les encerclent.

Capitaine América lance son bouclier.

Il aide les Vengeurs à vaincre
les vilains !

L'équipe est complète.
Capitaine América se joint à eux.
Ils sont maintenant invincibles.
Le monde pourra toujours compter sur les Vengeurs !